喜羊羊与灰太狼

图画故事书 5

变色狼

童趣出版有限公司编　人民邮电出版社出版
北　京

图书在版编目（CIP）数据

喜羊羊与灰太狼图画故事书5变色狼／童趣出版有限公司编.
— 北京：人民邮电出版社，2009.5
ISBN 978-7-115-20745-6

Ⅰ.喜…　Ⅱ.童…　Ⅲ.图画故事—中国—当代　Ⅳ.I287.8

中国版本图书馆CIP数据核字（2009）第050236号

喜羊羊与灰太狼图画故事书5
变色狼

出 版 人：侯明亮
策划编辑：范　萍
责任编辑：洪　宇
美术编辑：王　莹
封面设计：唐婷婷
封面绘制：紫陌图文设计工作室

编译出版　童趣出版有限公司
出版发行　人民邮电出版社
地　　址　北京市东城区交道口菊儿胡同七号院（100009）
网　　址　www.childrenfun.com.cn

读者热线：010-84180588
经销电话：010-84180459

印　　刷　北京百花彩印有限公司
开　　本　889×1194　1/24
印　　张　2.5
字　　数　75千字
版　　次　2009年5月第1版　2009年7月第3次印刷
书　　号　ISBN 978-7-115-20745-6/G
定　　价　11.00元

目录

人物介绍

喜羊羊
族群里跑得最快的羊，乐观、好动，永远带着微笑。他每次都能识破灰太狼的阴谋诡计，拯救羊羊族群的生命，是羊氏部落的小英雄。

美女羊，心灵手巧。她还是营养学家、美容师、模特儿……一切与"美"有关的事她都精通，是大家跟风模仿的对象。
 美羊羊

懒羊羊
最聪明的小肥羊之一，最喜欢的运动是睡觉。但他聪明机智，而且临危不乱，总是一副大智若愚、举重若轻的样子。

最健壮的羊，也是最鲁莽的一只羊。经常是一副很酷的样子，总爱持反对意见，以为自己英伟不凡，天下无敌，其实很多时候都无能为力。
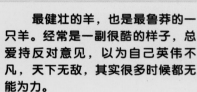 **沸羊羊**

慢羊羊
羊村村长，最年长的羊。他博览群书，平时最爱搞小发明，是个乌龙发明家，但危急时又能派上用场，动作总是慢吞吞的，常把身旁的羊急死。

暖羊羊的心肠跟她的名字一样，充满阳光和温暖。重量级的身躯和无比善良的性格展现出来的魅力，总是让人大跌眼镜。
 **暖羊羊**

灰太狼
住在青青草原对面的森林里，是个"聪明"又倒霉的坏蛋，爱钻研抓羊技巧，一有机会就去骚扰羊部落。他永远想偷羊吃，却永远被羊羊们打败。

灰太狼的老婆，贪婪、虚荣、嫉妒心强、狠毒。虽然长得一般却总打扮得华丽高贵，自以为天下最美。总是逼着灰太狼去抓羊，自己却坐享其成。
 **红太狼**

tiān kōng qíng lǎng　tài yáng dǎ le gè dà hē qiàn　yē zi shù suí fēng bǎi dòng zhe lǜ sè de zhī tiáo　huī

天空晴朗，太阳打了个大呵欠，椰子树随风摆动着绿色的枝条。灰

tài láng duǒ zài yáng cūn tiě ménwài de cǎo cóng li　ná zhe wàng yuǎn jìng zhēn chá qíng kuàng　tā kàn dào zhí bān

太狼躲在羊村铁门外的草丛里，拿着望远镜侦察情况。他看到值班

de fèi yáng yáng zhèng zài dǎ dǔnr　tōu xiào dào　hēi hēi　fèi yáng yáng　jiào nǐ dǎ kē shuì　jīn tiān

的沸羊羊正在打盹儿，偷笑道："嘿嘿，沸羊羊，叫你打瞌睡，今天

wǒ yí dìng yào dǎi zhù nǐ

我一定要逮住你！"

6

huī tài láng niè shǒu niè jiǎo de zǒu dào tiě mén biān yí jīn tiān de tiě mén shang zěn me guà le gè pái
灰太狼蹑手蹑脚地走到铁门边。咦？今天的铁门 上 怎么挂了个牌

zi shàng miàn hái xiě zhe bā gè xǐng mù de dà zì gāo yā diàn liú qǐng wù chù mō huī tài láng náo le
子？上 面还写着八个醒目的大字："高压电流，请勿触摸"。灰太狼挠了

náo hòu nǎo sháo xīn xiǎng gāo yā diàn zhè yí dìng shì xǐ yáng yáng yòu zài shuǎ shén me huā zhāo xià hu wǒ
挠后脑勺，心想："高压电？这一定是喜羊 羊 又在耍 什么花 招吓唬我

ne wǒ bú pà
呢。我不怕！"

高压电流 ⚡ 请勿触摸

就在这时，"嗖"的一声，跑得像摩托车一样快的喜羊羊一个急刹车，停在打盹儿的沸羊羊面前，把他惊醒了。沸羊羊问："你跑这么快干吗？"喜羊羊气喘吁吁地说："紧急通知，村长把铁门接通了高压电，你可千万别碰它。"

“可是，我们要开门的时候怎么办呢？”沸羊羊认真地问。喜羊羊指着门口的密码机说：“放心吧，按了密码再碰门就不会触电了。”他把嘴凑到沸羊羊的耳边，大声说：“密码是123456，记好了！”躲在门外偷听的灰太狼面露得意之色。

xǐ yáng yáng hái gào su fèi yáng yáng　wèi le biǎo zhāng màn yáng yáng cūnzhǎng de gōng jì　yáng yáng men
喜羊羊还告诉沸羊羊，为了表彰慢羊羊村长的功绩，羊羊们

míng tiān dōu yào shàng shān　zài là xiàng guǎn gěi cūn zhǎng shù lì là xiàng　fèi yáng yáng hái yào fù zé míng tiān
明天都要上山，在蜡像馆给村长树立蜡像，沸羊羊还要负责明天

shàng shān de kāi lù gōng zuò ne　suǒ yǐ　xǐ yáng yáng bú ràng fèi yáng yáng zài zhí bān le　lā zhe tā qù kāi
上山的开路工作呢。所以，喜羊羊不让沸羊羊再值班了，拉着他去开

míng tiān huó dòng de yù bèi huì
明天活动的预备会。

huī tài láng kàn zhe yáng yáng men zǒu yuǎn le　　huài xiào zhe qù àn mì mǎ jī　zuǐ li dí gu zhe
灰太狼看着羊羊们走远了，坏笑着去按密码机，嘴里嘀咕着：

　　　　　xiǎo bèn yáng　lián mì mǎ dōu shuō de zhè me dà shēng　wǒ ěr duo dōu bèi zhèn tèng
"123456。小笨羊，连密码都说得这么大声，我耳朵都被震疼

le　　zhǐ tīng　pēng　de yì shēng　yí gè dà tiě chuí cóng tiān ér jiàng zhèng zá dào huī tài láng de nǎo
了。"只听"砰"的一声，一个大铁锤从天而降，正砸到灰太狼的脑

dai shang　tā liǎng yǎn yì hēi jiù dǎo xià le
袋上，他两眼一黑就倒下了。

xǐ yáng yáng hé fèi yáng yáng zài tiě mén li xiào wān le yāo   tā men biān xiào biān shuō   shì
喜羊 羊和沸羊 羊在铁门里笑 弯了腰，他们边笑边说："123456是

wǒ men chū qù shí de mì mǎ   zài mén wài àn zhè ge mì mǎ jiù huì yǒu   dūn zhòng de dà tiě chuí diào xia lai
我们 出去时的密码！在门 外按这个密码就会有50吨 重 的大铁锤 掉下来。

hā hā hā   wǒ men qù kāi huì le   nǐ jiù zài tiě chuí xià miàn lǎo lǎo shí shí dāi zhe ba   bèi zá de tóu hūn nǎo
哈哈哈！我们去开会了，你就在铁锤下面 老老实实待着吧！"被砸得头昏脑

zhàng de huī tài láng fèi dōu kuài qì zhà le
涨 的灰太狼肺都快气炸了。

高压电流

50t

bàng wǎn hóng tài láng zhèng zài tiáo yán liào zhè shí huī tài láng huí lái le kàn dào lǎo gōng yòu méi zhuā
傍晚，红太狼正在调颜料。这时，灰太狼回来了。看到老公又没抓

dào yáng hóng tài láng liǎn dōu qì lǜ le huī tài láng péi zhe xiào liǎn shuō lǎo po nǐ tīng wǒ shuō míng tiān yáng
到羊，红太狼脸都气绿了。灰太狼赔着笑脸说："老婆你听我说，明天羊

cūn de quán tǐ yáng yáng dōu yào qù shān shang de là xiàng guǎn nǐ xiǎng xiǎng nà lǐ huì yǒu duō shao zhī yáng a
村的全体羊羊都要去山上的蜡像馆，你想想那里会有多少只羊啊，

suí biàn zhuā jǐ zhī jiù gòu zán men chī le
随便抓几只就够咱们吃了。"

13

红太狼表情由怒转喜，问他："那你想好抓他们的办法了吗？"灰太狼摸摸还有点儿发蒙的头说："办法……我正在想。"伴随着红太狼的一声"笨蛋！"一个颜料盒朝他飞了过来。

hóng sè de yán liào sǎ le huī tài láng yì shēn　huī tài láng biàn chéng hóng sè de le　tā gāng hǎozhàn zài

红色的颜料洒了灰太狼一身，灰太狼变成红色的了。他刚好站在

hóng sè de dì tǎn shang　fèn nù de hóng tài láng zhǎo bú dào tā　dà shēng hǎn　　bèn dàn　nǐ gǎn duǒ qǐ

红色的地毯上，愤怒的红太狼找不到他，大声喊："笨蛋，你敢躲起

lai　kuài diǎnr　gěi wǒ chū lái　　huī tài láng kànzhe mǎn shēn de hóng yán liào　yǎn jing yí liàng　jì shàng xīn

来！快点儿给我出来！"灰太狼看着满身的红颜料，眼睛一亮，计上心

lái　　duì a　biàn sè　wǒ kě yǐ biàn sè

来："对啊，变色，我可以变色！"

第二天一大早，灰太狼提着一桶绿色的颜料上山了。他用绿颜料把自己染成绿色，躲在路边的草丛里，拿着望远镜观察不远处正在拔草开路的羊羊们。"喜羊羊，这次你可发现不了我了。"灰太狼的口水都快流出来了。

就在这时，一只蟋蟀唱着歌过来了，它把灰太狼当成了一棵又大又嫩的草，在他身上欢快地跳起舞来。灰太狼被它弄得浑身发痒，禁不住东倒西歪。更糟糕的是，羊羊们听到蟋蟀的叫声，都朝他这边来了。

17

yáng yáng men méi zhǎodào xī shuài   yòu huí qù bá cǎo le   huī tài láng tí dào sǎng zi yǎnr   de

羊羊们没找到蟋蟀，又回去拔草了。灰太狼提到嗓子眼儿的

xīn gāngfàng xia lai   yòukàndào xǐ yángyáng tuī zhechúcǎo jī guò lái le   ràng kāi   kàn wǒ de

心刚放下来，又看到喜羊羊推着除草机过来了。"让开！看我的。"

huà yīn gāng luò   yí dà piàn cǎo cóng jiù dǎo xià le   huī tài láng gǎn dào pì gu yí zhèn téng tòng   yǎo

话音刚落，一大片草丛就倒下了。灰太狼感到屁股一阵疼痛，咬

zhe yá méi jiào chū shēng lái   dī tóu yí kàn   pì gu shàng de máo quán bèi chǎn diào le

着牙没叫出声来，低头一看，屁股上的毛全被铲掉了。

guāng zhe pì gu de huī tài láng yòu shēng yí jì   quán shēn jiāo shàng huáng sè yán liào   zài tóu shang chā
光　着屁股的灰太狼又生一计，全身浇上　黄色颜料，在头上插

shàng shù zhī   zhuāng bàn chéng yì kē shù zhàn zài lù zhōng jiān   tā xiǎng chèn yáng yáng men jīng guò shí zhuā zhù
上　树枝，装　扮　成　一　棵树站在路中间。他想　趁羊羊们经过时抓住

tā men   yáng yáng men lái le   fā xiàn yǒu kē shù dǎng zhù le dào lù   màn yáng yáng cūn zhǎng xià lìng yáng yáng
他们。羊　羊们来了，发现有棵树　挡住了道路，慢羊羊村　长下令羊羊

men kǎn dǎo tā
们砍倒它。

yáng yáng men yòng fǔ tóu kǎn shù　　zhè kē shù què néng zuǒ yòu duǒ shǎn　　zěn me yě kǎn bú dào　　zěn
羊羊们用斧头砍树，这棵树却能左右躲闪，怎么也砍不到。怎

me bàn ne　　xǐ yáng yáng ná zhe huǒ bǎ chū xiàn le　　　kǎn bù dǎo jiù shāo le tā　　　huǒ bǎ gāng rēng dào shù
么办呢？喜羊羊拿着火把出现了："砍不倒就烧了它！"火把刚扔到树

shang yáng yáng men jiù tīng dào yì shēng cǎn jiào　　nà kē shù hǎn zhe　　jiù mìng　　mào zhe yān táo zǒu le
上，羊羊们就听到一声惨叫，那棵树喊着"救命"，冒着烟逃走了。

yáng yáng men mù dèng kǒu dāi　　ná zhe fǔ tóu lèng zài nà lǐ　　měi yáng yáng zuì xiān fā chū yí wèn　　zhè kē
羊羊们目瞪口呆，拿着斧头愣在那里。美羊羊最先发出疑问："这棵

shù zěn me huì duǒ huì pǎo a　　xǐ yáng yáng pāi le pāi bèi huǒ bǎ nòng zāng de shǒu shuō　　shù bú huì duǒ yě bú huì
树怎么会躲会跑啊？"喜羊羊拍了拍被火把弄脏的手说："树不会躲也不会

pǎo　láng cái huì　　yáng yáng men huǎng rán dà wù　　shì huī tài láng jiǎ zhuāng chéng shù　tā tài jiǎo huá le
跑，狼才会。"羊羊们恍然大悟："是灰太狼假装成树！他太狡猾了！"

hún shēn màoyān de huī tài láng pǎo dào là xiàng guǎn mén kǒu　　yì biān qì jí bài huài de zhòu mà yáng yáng men
浑身 冒烟的灰太狼 跑到蜡像 馆 门口，一边气急败坏地咒骂羊羊们，

yì biān wǎng zì jǐ shēn shang dào bái sè yán liào　　tā zài tóu shang chā shàng yáng jiǎo　　zhuāng bàn chéng là xiàng　　guò
一边 往 自己 身 上 倒白色颜料。他在头 上 插上 羊角，装 扮 成蜡像。过

le yí huì er　　yáng yáng men lā zhe xiǎo chē guò lái le　　cūn zhǎng zhàn zài chē qián　　tā de là xiàng fàng zài chē hòu
了一会儿，羊羊们拉着小车过来了，村 长 站在车前，他的蜡像 放在车后。

zhuāng bàn chéng là xiàng de huī tài láng gē bo dōu jǔ má le　　zhōng yú děng dào xiǎo chē jīng guò miàn qián

装 扮 成 蜡像 的 灰太狼 胳膊 都 举 麻 了 ， 终于 等 到 小车 经过 面前。

tā yǎn jí shǒu kuài　　bǎ bù dài wǎng chē hòu de cūn zhǎng là xiàng shang yí zhào　 bēi qǐ dài zi　　yì liū yān táo zǒu

他眼疾手快， 把布袋往车后的村长蜡像上一罩，背起袋子，一溜烟逃走

le　　yáng yáng men fā xiàn huī tài láng tōu zǒu le cūnzhǎng là xiàng　fàng xià xiǎo chē jiù zhuī

了。羊羊们发现灰太狼偷走了村长蜡像，放下小车就追。

灰太狼把自己涂成绿色，藏在草丛里，羊羊们没发现他。他得意地叫着："我在这儿！"飞快地溜走了。羊羊们接着追，没想到路旁的一棵大树又是灰太狼假扮的，他朝喜羊羊头上打了一拳，又逃走了。羊羊们追得气喘吁吁，还是没追上他。

突然，喜羊羊指着一处草丛说："大家往这里打！"羊羊们就拿着棍子、斧头对着草丛一阵猛打。那草丛突然叫起来："哎哟，疼死我了！"原来草丛是灰太狼假扮的。灰太狼捂着头问喜羊羊："你是怎么发现我的？"喜羊羊指着地上的狼脚印说："靠它们。"

趁羊羊们不注意，灰太狼背着布袋又逃了。跑了一阵，他突然看到狼堡出现在眼前，红太狼在楼上朝他招手。他不知道这是喜羊羊刚做成的假狼堡，很惊喜："今天怎么这么快就到家了？！"他一敲门，假扮成红太狼的喜羊羊就拉动机关，打开了大门。

huī tài láng gāo xìng de chōng jìn láng bǎo　　méi xiǎng dào jiǎ mén hòu jiù shì wàn zhàng xuán yá　　tā qíng jí zhī
灰 太 狼 高 兴 地 冲 进 狼 堡，没 想 到 假 门 后 就 是 万 丈 悬 崖，他 情 急 之

ng zhuā zhù le mén huán　　dà hǎn　　　　lǎo po　　kuài lái jiù wǒ a　　　　zhè shí　　shēn hòu chuán lái yí gè shēng
抓 住 了 门 环，大 喊："老 婆，快 来 救 我 啊！"这 时，身 后 传 来 一 个 声

bǎ shǒu gěi wǒ　　　　huī tài láng shēn chū shǒu　　niǔ tóu yí kàn　　　　nǎ lǐ shì lǎo po　　fēn míng shì xǐ yáng
："把 手 给 我。"灰 太 狼 伸 出 手，扭 头 一 看，哪 里 是 老 婆，分 明 是 喜 羊

g　　tā cǎn jiào yì shēng　　diào le xia qu
，他 惨 叫 一 声，掉 了 下 去。

在蜡像馆，喜羊羊红着脸向村长道歉："对不起，村长，我们没有把蜡像抢回来。"懒羊羊摆着手说："不用担心。快看，我刚为村长做了新的蜡像！"大家说："这不像村长啊！""我学的是抽象派雕塑！"懒羊羊笑嘻嘻地说。

这时候，狼堡正被熊熊大火包围着。愚蠢的灰太狼误把村长蜡像当成村长，把它放到火上烤，想吃烤全羊。没想到蜡遇火燃烧，把狼堡点燃了……

动脑筋

在自然界，有些动物能通过改变身体的颜色来保护自己。下面这些动物中哪些能变颜色呢？

青蛙

变色龙

章鱼

北极熊

小提示：有些动物能改变身体的颜色，是因为它们能通过神经系统控制身体上面的各色素细胞。答案：变色龙和章鱼。

变色龙虽然能改变身体的颜色，但不能改变影子的形状。小朋友，请找找看，哪个影子是变色龙的？

答案：绿色的蜥蜴才是变色龙的影子。

动 脑 筋

除了通过影子，我们还可以通过脚印来找到隐藏的变色龙。小朋友，快顺着脚印把变色龙找出来吧！

一天，灰太狼在实验室里捣鼓一台照相机，红太狼进来朝他大吼："这么晚了，还不去抓羊！饿死我了。"

灰太狼赔着笑脸说："老婆，告诉你个好消息，我发明了一种新的抓羊工具，你看这个照相机……"

红太狼瞥了照相机一眼，不屑地说："笨蛋，照相机能抓到羊吗？"灰太狼得意地说："这可不是普通的照相机啊，闪光灯一亮，对方就会晕倒的。"说着，他对准红太狼按下了快门。闪光灯一亮，红太狼果然一翻白眼就倒在地上了。

huī tài láng tī le tī hóng tài láng　kàn tā méi yǒu fǎn yìng　dé yì de hā hā dà xiào　wǒ zhè xiàng jī de
灰太狼踢了踢红太狼，看她没有反应，得意地哈哈大笑："我这 相机的

shǎn guāng shì chāo jí qiáng lì guāng bō　nǐ cái shì gè bèn dàn ne　lǎo po　nǐ jiù děng zhe chī yáng ba　zhè
闪 光是超级强力光波，你才是个笨蛋呢！老婆，你就等着吃羊吧，这

cì wǒ yí dìng huì chéng gōng de
次我一定会成功的！"

yáng cūn huā yuán li de huā er kāi de zhèng yàn   hú dié zài piān piān qǐ wǔ   xǐ yáng yáng hé měi yáng yáng
羊 村 花 园 里 的 花 儿 开 得 正 艳 ，蝴 蝶 在 翩 翩 起 舞 。喜 羊 羊 和 美 羊 羊

zài huā yuán li zhào xiàng   ài měi de měi yáng yáng hái ná gè jìng zi suí shí bǔ zhuāng   děng děng wǒ   wǒ hái méi
在 花 园 里 照 相 ，爱 美 的 美 羊 羊 还 拿 个 镜 子 随 时 补 妆 。 "等 等 我 ，我 还 没

zhào ne   fèi yáng yáng dà hǎn zhe   yí zhèn fēng shì de pǎo lái le   zhǐ tīng   pū tōng   yì shēng   fèi yáng
照 呢 ！"沸 羊 羊 大 喊 着 ，一 阵 风 似 的 跑 来 了 。只 听 "扑 通"一 声 ，沸 羊

yáng shuāi dǎo zài dì   xiàng jī bèi tā yā huài le
羊 摔 倒 在 地 ，相 机 被 他 压 坏 了 。

喜羊羊拿着相机，无奈地说："看来一时半会儿是照不了相了。"
美羊羊埋怨沸羊羊："你着什么急啊，我一张还没照呢，今天算是白打扮了。"沸羊羊懊悔地说："早知道我就不跑了。"

羊羊们正在沮丧，突然听到铁门外有人吆喝："照相了，专业照相！绝对使美的更美，不美的也美啦！"大家一看，门外站着一位"羊大叔"，脖子上挂着台相机，正朝他们笑呢。看他的打扮，还真像个专业摄影师。

沸羊羊和美羊羊特别高兴，想开门让"羊大叔"进来，喜羊羊拦住他们说："你们忘了吗？村长说不能随便开门。""羊大叔"一听有些着急，赶忙说："我可以在门外给你们拍。"

yáng dà shū   àn xià kuàimén shǎn guāngdēng yí liàng   méi xiǎng dào tā zì jǐ yì
"羊大叔"按下快门，闪光灯一亮，没想到他自己一

fān bái yǎn yūn dǎo le   zhè shì zěn me huí shì ne   zài kàn tiě mén nèi   fèi yáng yáng zhèng
翻白眼晕倒了。这是怎么回事呢？再看铁门内，沸羊羊正

ná zhe měi yáng yáng de jìng zi chòu měi ne   yuán lái   jìng zi fǎn shè le shǎn guāng dēng de
拿着美羊羊的镜子臭美呢。原来，镜子反射了闪光灯的

guāng guāng xiàn yuán lù fǎn huí   duì zhǔn le   yáng dà shū
光，光线原路返回，对准了"羊大叔"。

yáng yáng men jué de hěn qí guài　　yáng dà shū　zěn me huì hūn dǎo
羊 羊 们 觉 得 很 奇 怪:"羊 大 叔"怎 么 会 昏 倒

ne　kāi mén yí kàn　cái fā xiàn　yáng dà shū　shì huī tài láng jiǎ bàn de
呢? 开 门 一 看,才 发 现"羊 大 叔"是 灰 太 狼 假 扮 的。

xǐ yáng yáng mō zhe xià ba shuō　　kàn lái　huī tài láng gāng cái yòu zài shuǎ
喜 羊 羊 摸 着 下 巴 说:"看 来,灰 太 狼 刚 才 又 在 耍

shén me huā zhāo xiǎng zhuā wǒ men ne　　fèi yáng yáng qì fèn de shuō
什 么 花 招 想 抓 我 们 呢!"沸 羊 羊 气 愤 地 说:

guǎn tā ne　bǎ tā rēng dào hé li qù
"管 他 呢,把 他 扔 到 河 里 去!"

dāng huī tài láng pá shàng àn　　hún shēn shī lín lín de huí dào jiā shí　　tiān yǐ jīng hēi le　　tā gāng yào jìn
当 灰 太 狼 爬 上 岸，浑 身 湿 淋 淋 地 回 到 家 时，天 已 经 黑 了。他 刚 要 进

qù　　yòu bèi hóng tài láng pō le yì pén　shuǐ　　huī tài láng dǎ le gè pēn tì　　xiào xī xī de shuō　　lǎo po
去，又 被 红 太 狼 泼 了 一 盆　水。灰 太 狼 打 了 个 喷 嚏，笑 嘻 嘻 地 说："老 婆，

wǒ zhè shì qù hé li gěi nǐ zhuā yú le　　hng　piàn shéi ya　　nǐ zhè yí dìng shì zhuā yáng bù chéng　bèi
我 这 是 去 河 里 给 你 抓 鱼 了。""哼，骗 谁 呀？你 这 一 定 是 抓 羊 不 成，被

yáng rēng dào hé li qù le　　hóng tài láng huī wǔ zhe píng dǐ guō shuō
羊 扔 到 河 里 去 了！"红 太 狼 挥 舞 着 平 底 锅 说。

实验室里，灰太狼带着红太狼参观他专
门为抓羊设计的自动照相屋。他指着屋子
中间的玻璃说："它一通电就变成单面玻璃
了，外面的人看不到里面，但是里面的人能看
到外面。到时候，我在里面一按快门，闪光
灯一亮，羊羊们就晕倒了。嘿嘿。"

自动照相屋

照相不收钱
只限今日

<ruby>第二天<rt>dì èr tiān</rt></ruby>，<ruby>微风轻轻地吹着<rt>wēi fēng qīng qīng de chuī zhe</rt></ruby>，<ruby>沸羊羊和美羊羊在田间小道散步时<rt>fèi yáng yáng hé měi yáng yáng zài tián jiān xiǎo dào sàn bù shí</rt></ruby>，<ruby>突然发<rt>tū rán fā</rt></ruby><ruby>现树下有一座白色的小房子<rt>xiàn shù xia yǒu yí zuò bái sè de xiǎo fáng zi</rt></ruby>，<ruby>上面写着<rt>shàng miàn xiě zhe</rt></ruby>"<ruby>自动照相屋<rt>zì dòng zhào xiàng wū</rt></ruby>"。<ruby>美羊羊高兴地说<rt>měi yáng yáng gāo xìng de shuō</rt></ruby>：

"<ruby>这个照相屋离羊村这么近<rt>zhè ge zhào xiàng wū lí yáng cūn zhè me jìn</rt></ruby>，<ruby>真好<rt>zhēn hǎo</rt></ruby>。"<ruby>于是<rt>yú shì</rt></ruby>，<ruby>两只小羊决定进去照张相<rt>liǎng zhī xiǎo yáng jué dìng jìn qù zhào zhāng xiàng</rt></ruby>。

45

沸羊羊和美羊羊进屋，看到墙上写着："在椅子上坐好，按扶手上的按钮，就可以照相啦。"美羊羊发现房子中间有一大块漂亮的玻璃，高兴地赶紧对着玻璃化起妆来。躲在玻璃后面的灰太狼和红太狼得意地哈哈大笑。

玻璃后面，灰太狼大声说："美羊羊，我一定要吃了你！"灰太狼刚喊完，就看到美羊羊的表情变得很惊讶，他紧张得直冒冷汗：他发明的单面玻璃可是隔音的啊！再一看，原来美羊羊是吃惊自己把口红涂到脸蛋儿上去了。

yángyáng men zài yǐ zi shàngzuòhǎo le jiù tīng dào qiáng shang de kuòyīn qì chuán chū yí gè shēngyīn
羊羊们在椅子上坐好了，就听到墙上的扩音器传出一个声音：

qǐng àn yí xià fú shǒu shang de àn niǔ xiàn zài kāi shǐ zhào xiàng zhè shì huī tài láng zài bō li hòu miàn tōng
"请按一下扶手上的按钮，现在开始照相。"这是灰太狼在玻璃后面，通

guò kuòyīn qì chuán chu lai de huà fèi yáng yáng tīng huà de àn xià le àn niǔ huī tài láng huài xiào zhe yí àn kuài
过扩音器传出来的话。沸羊羊听话地按下了按钮。灰太狼坏笑着一按快

mén yáng yáng men jiù yūn dǎo le
门，羊羊们就晕倒了。

wài miàn xǐ yáng yáng zhèng zài zháo jí de sì chù xún zhǎo fèi yáng yáng hé měi yáng yáng fā
外面，喜羊羊 正在着急地四处寻找沸羊 羊和美羊羊。发

xiàn zì dòng zhào xiàng wū hòu tā hào qí de wéizhe tā zhuàn le yì quān yí bù xiǎo xin bèi dì shang
现自动 照 相屋后，他好奇地围着它 转了一圈，一不小 心被地 上

de diàn yuán chā zuò bàn le yì jiāo chā tóu yě bèi tā tī diào le xǐ yáng yáng shēng qì de shuō
的电 源插座绊了一跤，插头也被他踢掉了。喜羊 羊 生 气地说：

zhēn tǎo yàn shì shéi luàn lā diàn xiàn duō bù ān quán a
"真讨厌！是谁乱拉电线，多不安全啊！"

xǐ yáng yáng jìn le zhào xiàng wū yīn wèi duàn diàn le bō li hòumiàn de yí qiè tā kàn de qīngqīngchǔ
喜羊羊进了照相屋，因为断电了，玻璃后面的一切他看得清清楚

chǔ huī tài láng hé hóng tài láng zhèng zài kǔn bǎng fèi yáng yáng hé měi yáng yáng ne cōng míng de xǐ yáng yáng yí
楚，灰太狼和红太狼正在捆绑沸羊羊和美羊羊呢。聪明的喜羊羊一

xià jiù míng bai le zhè shì huī tài láng zài lì yòng zhào xiàng wū zhuā yáng tā hěn kuài jiù xiǎngchū le duì cè xǐ
下就明白了，这是灰太狼在利用照相屋抓羊。他很快就想出了对策。喜

yáng yáng chòng xiǎo huǒ bàn zuò le gè guǐ liǎn shì yì tā men bú yào hài pà
羊羊冲小伙伴做了个鬼脸，示意他们不要害怕。

fèi yáng yáng hé měi yáng yáng lǐng huì le xǐ yáng yáng de yì si bú zài zhēng zhá
沸羊羊和美羊羊领会了喜羊羊的意思，不再挣扎
le hóng tài láng yì niǔ tóu kàn dào xǐ yáng yáng zài yǐ zi shang zuò zhe ne gāo xìng de
了。红太狼一扭头看到喜羊羊在椅子上坐着呢，高兴地
jiào qǐ lai lǎo gōng kuài kàn xǐ yáng yáng lái le huī tài láng gǎn jǐn tōng guò
叫起来："老公，快看，喜羊羊来了！"灰太狼赶紧通过
kuò yīn qì shuō qǐng àn yí xià fú shǒu shang de àn niǔ xiàn zài kāi shǐ zhào xiàng
扩音器说："请按一下扶手上的按钮，现在开始照相。"
xǐ yáng yáng tīng huà de àn xià le àn niǔ
喜羊羊听话地按下了按钮。

51

hóng tài láng xīn huā nù fàng　　kǒu shuǐ dōu liú chu lai le　　tā xīng fèn de niǔ zhe yāo shuō　　yòu yǒu yì zhī yáng

红太狼心花怒放，口水都流出来了，她兴奋地扭着腰说："又有一只羊，

zhēn shì tài hǎo le　　huī tài láng wēi fēng de chòng tā hǒu dào　　bié niǔ le　　gǎn jǐn huí jiā bǎ guō jià hǎo　　bǎ shuǐ

真是太好了！"灰太狼威风地冲她吼道："别扭了，赶紧回家把锅架好，把水

shāo hǎo　　nǐ jìng gǎn chòng wǒ hǒu　　hóng tài láng běn xiǎng dà fā léi tíng　　zhuǎn niàn yì xiǎng　　hái shi chī ròu yào

烧好！""你竟敢冲我吼！"红太狼本想大发雷霆，转念一想，还是吃肉要

jǐn　　jiù gǎn jǐn huí láng bǎo le

紧，就赶紧回狼堡了。

bō li hòu miàn　huī tài láng hèn hèn de xiǎng　xǐ yáng yáng　zhè yì qún yáng li　shǔ nǐ zuì kě hèn le
玻璃后面，灰太狼恨恨地想：喜羊羊，这一群羊里，数你最可恨了，

kàn nǐ jīn tiān zěn me táo　　bō li qián miàn　yǐ zi shang de xǐ yáng yáng suī rán miàn dài wēi xiào　nèi xīn yě zài
看你今天怎么逃！玻璃前面，椅子上的喜羊羊虽然面带微笑，内心也在

hèn hèn de shuō　　lái ba　huī tài láng　kàn wǒ zěn me shōu shi nǐ　　huī tài láng shǐ jìn àn xià kuài mén　méi
恨恨地说："来吧，灰太狼，看我怎么收拾你！"灰太狼使劲按下快门，没

xiǎng dào　　yòu shì tā zì jǐ yì fān bái yǎn hūn dǎo le
想到，又是他自己一翻白眼昏倒了。

原来，就在灰太狼按下快门的瞬间，喜羊羊举起了美羊羊的镜子，把闪光灯的光反射了回去。"玻璃门没锁，快来救我们！"沸羊羊大喊。喜羊羊推开玻璃门进去，给小伙伴们松开了绳子。

sōng le bǎng de fèi yáng yáng wèi le jiě qì　　ná qǐ xiàng jī duì zhe huī tài láng yì lián àn le jǐ cì kuài

松了绑的沸羊羊为了解气，拿起相机对着灰太狼一连按了几次快

mén　měi yáng yáng shuō　　bié lǐ tā le　zán men kuài huí jiā ba　　fèi yáng yáng shuō　　bù néng jiù

门。美羊羊说："别理他了，咱们快回家吧！"沸羊羊说："不能就

zhèyàng qīng yì ráo le zhè ge dà huài dàn　　xǐ yáng yáng yǎn zhū yí zhuàn　hā hā dà xiào zhe shuō　　shuō de

这样轻易饶了这个大坏蛋！"喜羊羊眼珠一转，哈哈大笑着说："说得

duì　　nǐ men xiān huí qù　　wǒ lái zuò gè xiǎo jī guān　hǎo hǎo jiào xun jiào xun tā

对！你们先回去，我来做个小机关，好好教训教训他！"

　　夜很深了，月亮都躲进云里睡着了，狼堡的窗口还亮着灯。红太狼烧干了五锅水，还没等到灰太狼回来。她焦躁地走来走去，怒火一股一股往外冒，终于忍不住大喊："灰太狼，你什么时候带羊回来啊？"这叫声惊飞了一群在狼堡屋顶睡觉的乌鸦。

天上繁星点点，地上萤火虫在自动照相屋外飞啊飞，吃惊地看着白色的光不时地从窗口射出来。原来，喜羊羊装了一个滑轮，只要灰太狼苏醒后坐起来，滑轮那头的小手掌就会滑下去按下相机快门，再把他照昏。灰太狼就这样不停地醒过来，昏过去，醒过来，昏过去……

动 脑 筋

小朋友，请把下面这些设备和它们的作用连起来。

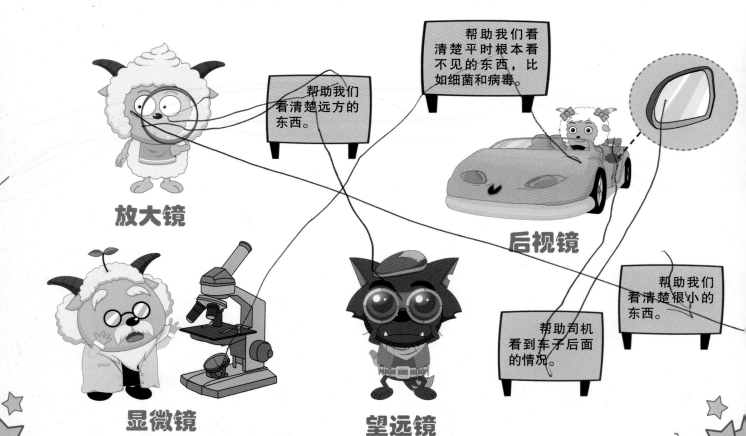

帮助我们看清楚平时根本看不见的东西，比如细菌和病毒。

帮助我们看清楚远方的东西。

放大镜

后视镜

显微镜

望远镜

帮助我们看清楚很小的东西。

帮助司机看到车子后面的情况。

奇妙的放大镜

小羊们到郊外野餐，他们准备做蘑菇汤。但是沸羊羊不小心把火柴弄丢了。他们只有一把放大镜和几张报纸，小朋友能想办法帮助他们把火点燃吗？

小提示：把太阳光聚光的作用，把放大镜放在阳光下，就能使阳光集中到一点，产生很高的热量能把报纸燃烧起来。

七彩虹

小朋友，你知道吗？彩虹是阳光照在小水滴上，发生了折射形成的。请你在下图中画出一道美丽的彩虹吧！

小提示：彩虹由7种颜色组成，从外到里依次是红、橙、黄、绿、青、蓝、紫。